Mae yna gyffro mawr, hanner call a dwl
yn lledu'n eang drwy'r tir,
a suon yn dringo'r coed at bob cwmwl –
ac wele, ar fy ngwir . . .

Jamborî'r
Jyngl amdani,
heno cyn iddi nosi!

Sioe'r **creaduriaid,**
o bob lliw a llun –

ond pa un ohonynt yw'r tlysaf un?

“Nid fi!” rhuodd y llew.

“Mae fy mwng i’n . . .

rhy

hyll!”

“Nid fi!”

trydarodd yr aderyn.

“Mae fy nghoesau

i’n rhy

fyr!”

“Nid fi!” snwffiodd y sebra.
“Mae fy streipiau’n rhy **ddiflas!”**

"Nid fi!" sibrydodd y llewpart.
"Mae fy smotiau'n rhy **smotiog!**"

“Nid fi!”
ochneidiodd yr hipo.
“Mae fy mhen-ôl i’n . . .

rhy

FAWR.

"Tybed beth sydd i ginio?" meddai'r pryfyn wrth hedfan heibio.

Diflannodd y creaduriaid i gyd
i'r jyngl i baratoi
at y jamborî . . .

. . . heblaw am y **pryfyn**,

oedd yn gwledda dros ei ginio,

ac yn mwynhau'r olygfa odidog,

yn fodlon ei fyd.

O’r diwedd roedd y creaduriaid yn barod.
Ond doedden nhw ddim yn edrych fel nhw eu hunain.
Roedd rhywbeth wedi newid . . .

“Does bosib mai **fi** fi fydd y tlysaf
i gyd,” meddai’r llew wrth ganu
grwndi ac edmygu ei
fwng pluog.

"Fi, yn wir!"

canodd yr

aderyn

gyda'i

goesau

bambŵ,

hirion.

"Fi, yn bendant!"

chwarddodd y sebra, a **throelli'n** ei **unfan.**

meddyliodd y llewpart,

yn **flodeuog**

o’i gorun i’w sawdl.

"Ylwch fi!
Mae'n amlwg i bawb . . ."

cyhoeddodd yr hipo yn ei drôns mawr **swanc**!

"Am ddiwedd hyfryd i'r diwrnod," meddai'r pryfyn.

Wrth i'r haul ddechrau blino
a gorffwys ar ben y bryn,
dechreuodd nosi – a daeth hi'n amser

am barêd y jyngl!

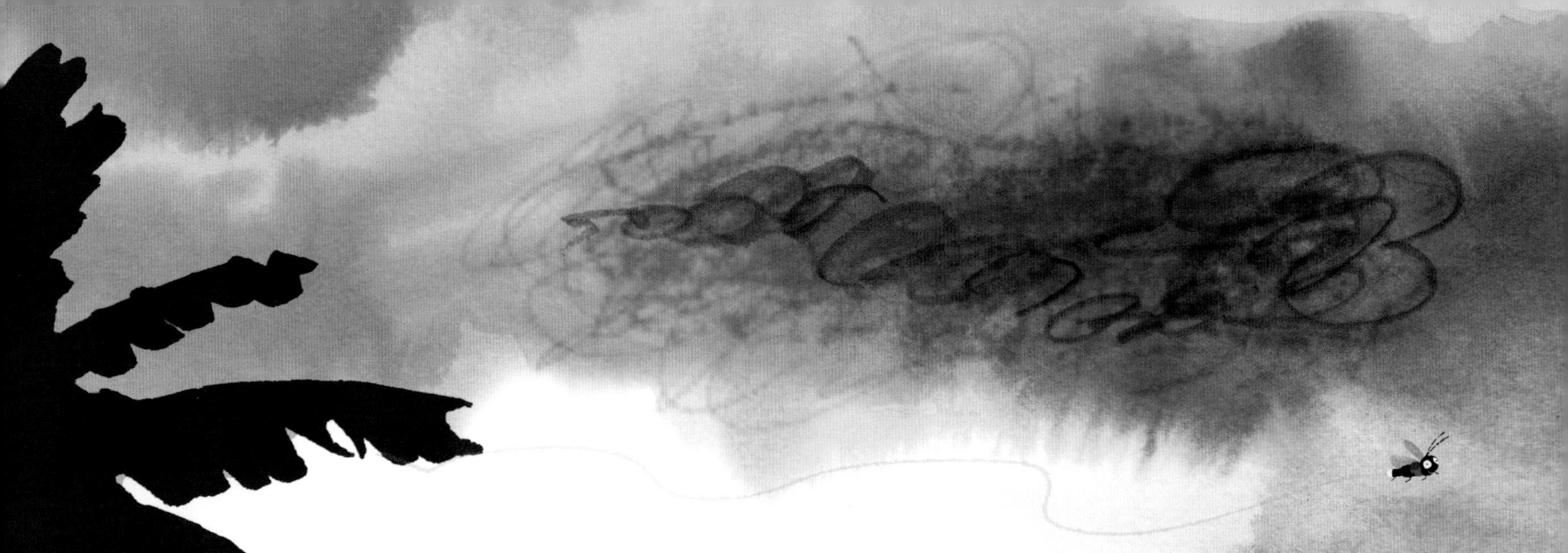

Daeth y creaduriaid yn un twr,
rhai **mawr** a rhai **bach**,
ynghyd â'r beirniaid,
er mwyn penderfynu pwy
oedd y **tlysaf oll.**

Ond doedd y cymylau ddim yn barod i swatio.
Roedden nhw eisiau cael sbri.
Felly trwy ddrygioni a direidi
dyma'n nhw creu twrw
a storom . . .

. . . a chwythu'r ffrils ffansi
i ffwrdd!
"O na! Fy mwng pluog!"
rhuodd y llew.
"Naaa! Fy nhrôns mawr swanc!"
llefodd yr hipo.

O'r diwedd aeth y cymylau'n flinedig

a rhoi eu drygioni i gysgu.
Ond daeth tywyllwch du dros y jyngl.

Allai'r beirniaid ddim gweld pwy oedd
yn haeddu cael ei goroni'r
tlysaf oll yn y goedwig.

“Gadewch i mi daflu goleuni i chi,” meddai’r pryfyn.

Gan chwyrlïo a throelli,
disgleiriodd y **pryfyn tân**
a dangos mor hardd oedd
y creaduriaid yma go iawn . . .

"Rydych chi i **gyd** yn edrych **mor** brydferth," meddai'r beirniaid, "yn gwmws fel yr ydych chi!"

Ond roedd **pawb** yn gytûn . . .

. . . mai **caredigrwydd** y pryfyn tân

oedd y peth tlysaf oll i **gyd!**

"Tybed beth sydd i swper?" meddai'r pryfyn.

Ac aeth adre ar wib.